T3-BOG-219

À mes enfants Kyle, Evan et Kristin. Ensemble nous trouvons le chemin qui mène au-delà de nos peurs. — C.H.

Pour Tristan et Chas., mes explorateurs préférés. — K.F.

Pour Tara qui éclaire la voie. — T.F. & E.F.

Catalogage avant publication de Bibliothèque et Archives Canada

Hadfield, Chris, 1959-
[Darkest dark. Français]
Plus noir que la nuit / Chris Hadfield, Kate Fillion ; illustrations de Terry Fan et Eric Fan ; texte français de Christiane Duchesne.

Traduction de : The darkest dark.
Publié en formats imprimé(s) et électronique(s).
ISBN 978-1-4431-5524-3 (relié).--ISBN 978-1-4431-5525-0 (html)

1. Hadfield, Chris, 1959- --Enfance et jeunesse--Ouvrages pour la jeunesse. 2. Hadfield, Chris, 1959- --Ouvrages pour la jeunesse. 3. Astronautes--Canada--Biographies--Ouvrages pour la jeunesse. I. Fillion, Kate, auteur II. Fan, Terry, illustrateur III. Fan, Eric, illustrateur IV. Titre. V. Titre: Darkest dark. Français.

TL789.85.H34A314 2016 j629.450092 C2016-902182-3
C2016-902183-1

Édition publiée par les Éditions Scholastic, 604, rue King Ouest, Toronto (Ontario) M5V 1E1
avec la permission de Tundra Books.

6 5 4 3 2 Imprimé au Canada 114 16 17 18 19 20

Les illustrations de ce livre ont été réalisées au crayon graphite et mises en couleurs à l'ordinateur.
Le texte a été composé avec la police de caractères Garamond.

Conception graphique de Tara Walker et Farrin Jacobs

Références photographiques :
Photos de la page 44 : gracieusetés de Chris Hadfield
Page 45, photos de Chris : gracieusetés de la NASA
Page 45, photo de Chris et Albert : gracieuseté de Terry Fan et Eric Fan

PLUS NOIR QUE LA NUIT

CHRIS HADFIELD *et* **KATE FILLION**

Illustrations des **FRÈRES FAN**

Texte français de **CHRISTIANE DUCHESNE**

Éditions
SCHOLASTIC

Chris est un astronaute important et très occupé.

Quand vient l'heure du bain, il dit à sa mère :

— Je voudrais bien, mais je suis en train de sauver la planète des griffes des extraterrestres!

Au moment de sortir du bain et d'aller au lit, il dit à son père (poliment, car les astronautes sont toujours polis) :

— Désolé, c'est impossible! Je suis en route pour Mars.

Le travail d’un astronaute n’est jamais terminé,
c’est pourquoi les astronautes n’aiment pas dormir.

Mais leurs parents, eux, aiment dormir.

— Tu es grand maintenant, lui dit son père.
Tu dois dormir dans ton propre lit.

Chris essaie. Il essaie vraiment, mais dans sa chambre, il fait noir. Très, très noir.

Une noirceur qui attire les pires extraterrestres qui soient.

Mais ses parents sont sérieux.

Ce soir, Chris doit dormir dans son propre lit.

Son père et sa mère vérifient sous le lit, dans le placard et même dans le tiroir à bobettes. Puis ils déclarent la chambre « garantie sans extraterrestres à 100 % ».

Ils bordent Chris et allument la veilleuse. Ils lui donnent même une cloche qu'il peut faire tinter s'il est trop inquiet.

Ils lui confisquent la cloche.

Puis, ce que dit son père inquiète Chris encore plus que le noir.

— Si j'entends encore un bruit, jeune homme, j'ai bien peur que demain, nous soyons tous trop fatigués pour aller chez le voisin.

Mais demain, c'est un jour historique. Un jour absolument unique. Chris doit aller chez le voisin. Sa vie en dépend.

Chris reste donc dans son lit. Sans bouger. Après un long moment, il sombre enfin dans le sommeil, et une fois endormi, il fait son rêve préféré…

Dans son vaisseau spatial, il vole jusqu'à la Lune.

CHRIS
et
ALBERT
HAUT

Le lendemain semble interminable. Quand, enfin, la Lune brille au-dessus du lac et qu'un léger vent d'été fait frémir le feuillage, Chris court chez le voisin.

Dans la maison, beaucoup de gens sont déjà réunis autour de la télévision, car c'est la seule de toute l'île

Chris trouve un endroit d’où il peut bien voir. Et il aperçoit…

des astronautes sur la Lune! Des astronautes… sur la vraie, la lointaine Lune! Ils sont vêtus d'énormes combinaisons blanches. Ils sautent de joie, très haut… là-bas, la gravité est beaucoup plus faible que sur la Terre.

Devant la télévision, les adultes s'émerveillent. Jamais de leur vie ils n'ont pu espérer assister à un tel spectacle. Même Chris (qui est allé sur la Lune la nuit dernière) s'étonne de voir à quel point il fait noir là-haut.

L’espace est plus noir que la nuit.

STAG ISLAND

Cette nuit-là, Chris fait une petite expérience. Il éteint toutes les lumières, même sa veilleuse. Il fait très noir. Très, très noir. Quelques ombres immobiles ressemblent à… des extraterrestres. Rien n'a changé.

Mais Chris, lui, est transformé.

Il comprend que la noirceur de l'univers est infiniment plus vaste et plus profonde que celle de sa chambre. Mais il n'a pas peur. Il veut explorer chaque recoin du ciel nocture.

Pour la première fois de sa vie, Chris contemple la puissance, le mystère et la beauté veloutée de la noirceur.

Et puis, se dit-il, on n’est jamais vraiment seul, là-haut. Nos rêves sont toujours avec nous, en attente. Les grands rêves de ce que nous désirons devenir.

Les merveilleux rêves de la vie qui sera la nôtre.

Des rêves qui, un jour, se réalisent bel et bien.

T.A.T.C. LURE
MANUFACTURED BY
The Algonquin Tackle Co.
HADFIELD
STS-100
Albert

AU SUJET DE CHRIS HADFIELD

Durant son enfance, Chris Hadfield passe tous ses étés avec sa famille à Stag Island, dans le sud de l'Ontario. Comme presque tous les habitants de l'île, les Hadfield n'ont pas la télévision, de sorte que le soir du 20 juillet 1969, c'est chez un voisin que Chris et sa famille vont regarder l'alunissage d'*Apollo 11*. Quand Neil Armstrong pose le pied sur la Lune, la vie de Chris se transforme à jamais. À ce moment même, il sait qu'il veut devenir astronaute. C'est impossible à l'époque. D'abord, Chris n'est encore qu'un enfant. De plus, tous les astronautes de la NASA sont américains. Les Canadiens n'ont même pas le droit de postuler.

Mais au cas où les choses changeraient, Chris décide de se préparer. Il travaille très fort à l'école, apprend tout ce qu'il peut sur les sciences, les fusées et l'espace. Adolescent, il apprend à piloter un planeur. Puis diplômé du collège militaire, il devient pilote de chasse et, plus tard, pilote d'essai afin de tester la sécurité des avions militaires. En 1992, presque vingt-trois ans après ce fameux été à Stag Island, le rêve de Chris se réalise : la toute nouvelle Agence spatiale canadienne le choisit à titre d'astronaute.

Depuis, il a fait le tour de la Terre des milliers de fois lors de trois missions différentes. Plus récemment, il a passé presque cinq mois dans l'espace, de décembre 2012 à mai 2013, où il a assumé la fonction de premier commandant canadien de la Station spatiale internationale (SSI).

Aujourd'hui, Chris parcourt le monde pour enseigner aux gens les sciences de l'espace et partager avec eux les magnifiques photographies qu'il a prises ainsi que les chansons qu'il a enregistrées dans la station spatiale. Les soirs d'été, Chris aime s'asseoir au bout du quai à Stag Island pour regarder la station spatiale passer au-dessus de lui. Dans le noir plus noir que la nuit, par les nuits sans lune, il peut la voir briller là-haut.

UN MESSAGE DE CHRIS

Parfois la noirceur fait peur… mais c'est aussi un endroit fascinant. La noirceur nous permet de voir les étoiles et les galaxies qui composent notre univers. C'est dans le noir que nous pouvons admirer le chatoiement des aurores boréales et faire un vœu lorsque passe une étoile filante. C'est dans la paix de la noirceur que j'ai choisi d'être celui que j'allais devenir et que j'ai imaginé tout ce que j'allais accomplir. La nuit est faite pour les rêves, la lumière de l'aube permet de les réaliser....

Chris Hadfield

Mon premier vaisseau spatial, en 1964.

Ma famille (je porte le tee-shirt à rayures), en 1966.

Heureux d'être pilote de planeur, en 1975.

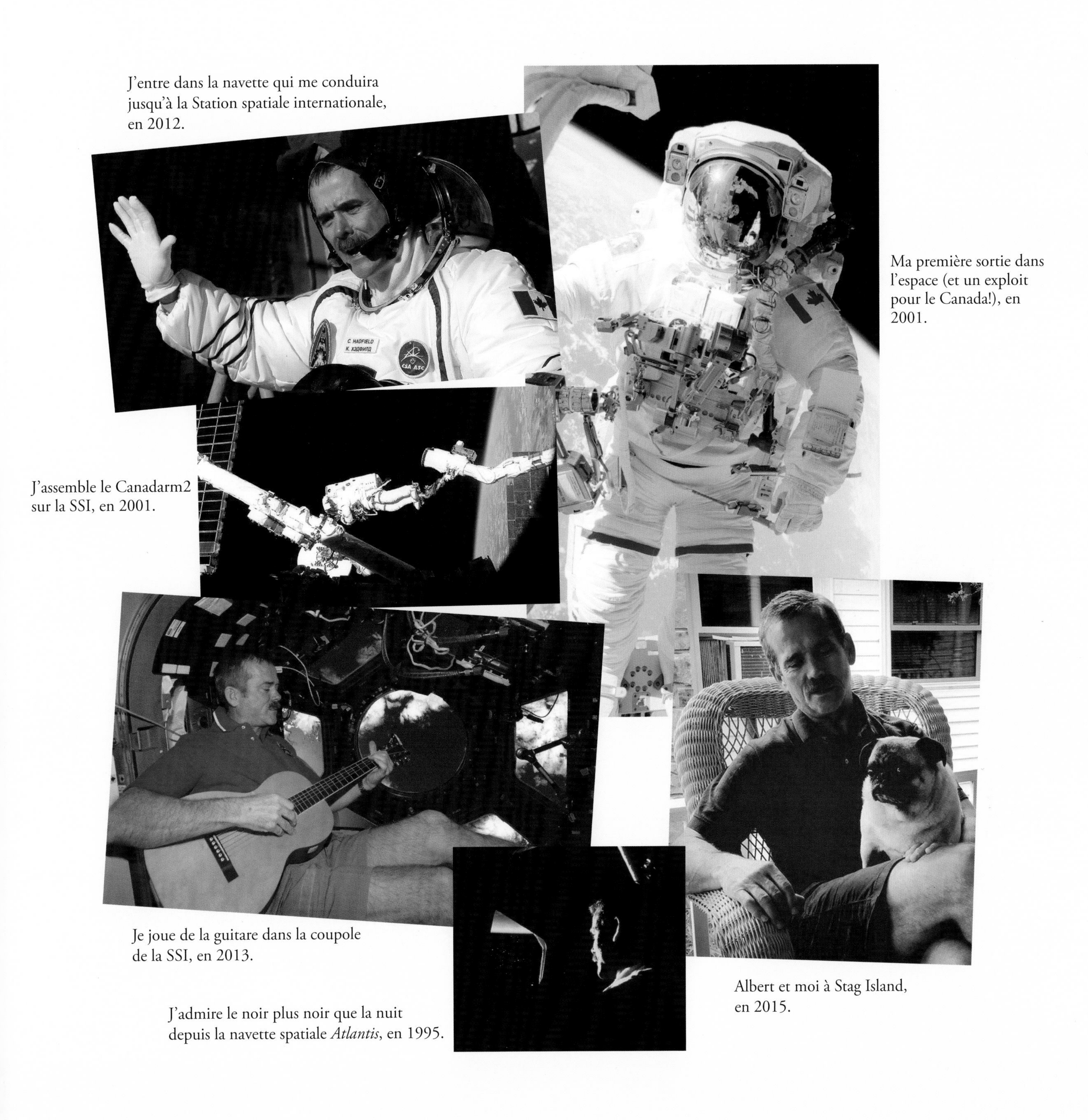

J'entre dans la navette qui me conduira jusqu'à la Station spatiale internationale, en 2012.

Ma première sortie dans l'espace (et un exploit pour le Canada!), en 2001.

J'assemble le Canadarm2 sur la SSI, en 2001.

Je joue de la guitare dans la coupole de la SSI, en 2013.

J'admire le noir plus noir que la nuit depuis la navette spatiale *Atlantis*, en 1995.

Albert et moi à Stag Island, en 2015.